W9-AWL-912

le Royaume Enchanté

La Vallée des licornes

Cet ouvrage a initialement paru en langue anglaise sous le titre :
Secret Kingdom, Unicorn Valley

Traduction : Valérie Mouriaux.
Conception graphique : Lorette Mayon.
Colorisation des illustrations : Sandra Violeau.

Hachette Livre, 43, quai de Grenelle, 75015 Paris.

Rosie Banks

le Royaume Enchanté

La Vallée des licornes

hachette
JEUNESSE

Les personnages

Summer est réfléchie, Ellie est inventive, et Jasmine est pétillante… Mais elles ont beau être très différentes, elles sont inséparables ! Leur point commun ? La curiosité et la soif d'aventure !

Trixibelle

Comme toutes les fées,
Trixi est minuscule
et possède des pouvoirs
extraordinaires…
Des ailes ? Aucun intérêt,
quand on peut voler
sur une feuille !

Le roi Merry

Le roi Merry règne sur
le Royaume Enchanté.
Généreux et tête
en l'air, il s'affole vite
en cas d'ennuis…
Il préfère faire la fête
et voir les gens heureux !

La reine Malice

C'est difficile à croire, et
pourtant… la reine Malice
est la sœur du roi Merry !
Elle est aussi diabolique
qu'il est bienveillant,
et aussi abominable qu'il
est adorable.

Voici
le Royaume Enchanté !

Bienvenue dans la Vallée des licornes !

1. Une nouvelle aventure

— Magnifique ! s'écrie Ellie en contemplant les gâteaux posés devant elle.

Summer et Jasmine confirment d'un hochement de tête.

Ellie a invité ses amies chez elle. Quelle bonne idée !

Summer a préparé des sablés en forme de cœur. Jasmine, en forme de couronne. Ellie, elle, a inventé les siens : des fées !

— On les fait cuire ? demande Summer, l'air gourmand.

— Quinze minutes au four, annonce Ellie en consultant un livre de cuisine.

— C'est trop long ! gémit Jasmine d'un air dramatique. Je meurs de faim, moi !

À cet instant, Mme Macdonald entre dans la cuisine.

— Allez jouer, les filles, propose-t-elle, je vous appellerai quand ce sera prêt. Des cœurs, des couronnes, des fées ! Quelle imagination !

Les trois amies échangent un sourire. De l'imagination ? Pas du tout ! Lors de leur expédition au Royaume Enchanté, elles ont vu un vrai roi, de vraies fées, de vraies couronnes… Mais chut! C'est un secret!

— On va dans ma chambre? les invite Ellie.

— D'accord! répond Jasmine. Est-ce que tu as apporté le coffret magique, Summer? chuchote-t-elle.

— Oui!

La chambre d'Ellie ressemble à un atelier d'artiste. Elle est spacieuse et lumineuse. Des livres d'art et des pinceaux sont posés en vrac sur le grand bureau. Des peintures d'Ellie couvrent les murs couleur lilas.

Les amies s'assoient devant la grande fenêtre : l'endroit préféré d'Ellie pour peindre.

Summer pose le coffret devant elles. Un miroir entouré de six pierres vertes orne le couvercle. Des créatures sont sculptées sur les côtés.

— On a beaucoup de chance que tu sois tombée dessus au vide-greniers de l'école, Ellie ! s'exclame Summer.

— Tu appelles ça « tomber » ? s'esclaffe celle-ci. Une chute spectaculaire, oui !

Elles éclatent de rire.

— Je crois plutôt que le coffret est venu nous chercher, intervient Jasmine. Nous seules pouvions sauver le Royaume Enchanté !

Ce pays merveilleux, peuplé de créatures magiques, est gouverné par le roi Merry. Sa sœur, la reine Malice, est jalouse de lui. Elle a lancé six éclairs ensorcelés pour anéantir le royaume. Les trois amies ont détruit le premier. Mais il faut absolument trouver les cinq autres !

— Trixi me manque ! soupire Summer. Quelle fée adorable !

Jasmine attrape le chiffon posé sur le chevalet d'Ellie et frotte le miroir. Des mots apparaissent aussitôt à la surface.

— Une nouvelle énigme ! s'exclame Ellie.

« *Le deuxième éclair*
se trouve sur le sol
des créatures à une corne.
Son sort doit être anéanti
avant la Grande Course. »

— Les licornes ! devine Summer, les yeux pétillants. On les a vues à la fête d'anniversaire du roi Merry !

Au même instant, le coffret magique se met à briller. Son couvercle s'ouvre lentement. Un faisceau lumineux en jaillit, soulevant un morceau de parchemin. La carte magique du Royaume Enchanté, cadeau du roi Merry !

Jasmine la déplie avec précaution. Les trois filles se penchent sur l'île en forme de croissant de lune.

— Le palais du roi Merry ! reconnaît Jasmine.

Les murs rose saumon et les quatre tourettes scintillent. Au sommet, des drapeaux s'agitent doucement, soufflés par la brise.

Summer observe la carte.

— La Forêt des fleurs, lit-elle. La Baie des sirènes…

— La Vallée des licornes! s'écrie Ellie en montrant un bois entouré de collines. C'est donc là que la reine Malice a caché son deuxième éclair!

— Posons nos mains sur les pierres du coffret, comme la première fois, intervient Jasmine.

Les trois amies couvrent de leurs paumes le miroir scintillant.

— La réponse à l'énigme est la Vallée des licornes! murmure Ellie d'un air concentré.

À ces mots, un rayon lumineux glisse à travers leurs doigts. Les filles, aveuglées, ferment les yeux. Puis la lumière disparaît.

Les trois amies regardent autour d'elles.

— À votre avis, ça a marché ? demande Jasmine. La dernière fois, le roi Merry et Trixi avaient tous les deux atterri dans l'armoire de Summer…

Au même instant, le couvercle du coffre à jouets se met à trembler.

Ellie fait un bond, manquant de tomber à la renverse.

— Ils… ils sont coin-coincés dans le co-coffre à jouets ! bégaie-t-elle.

— Pas de panique ! s'écrie une voix fluette. On arri-i-i-ive !

— Trixi ! s'écrient avec joie les amies.

Des milliers de pétales roses s'échappent de sous le couvercle. D'un coup, le coffre s'ouvre dans une pluie de fleurs. Trixi surgit, voletant sur sa feuille. La petite fée salue les fillettes, avant de tapoter l'anneau à son doigt. Des étincelles en jaillissent, faisant disparaître les fleurs.

— Quel plaisir de vous revoir ! s'exclame Trixi.

Elle dépose un baiser sur le nez de chacune.

— Pour nous aussi ! sourit Summer, les yeux pétillants.

Non, elle ne rêve pas ! La jolie fée est là, en chair et en os ! Elle porte ses vêtements en feuilles et son minuscule chapeau-fleur sur ses cheveux blonds ébouriffés. Les yeux bleus de Trixi brillent. Elle sourit.

— Où est le roi Merry? demande Jasmine.

— Il prépare son discours pour les Jeux d'Or des licornes, explique Trixi. L'an passé, il est arrivé quand c'était fini ! Le pauvre...

Les trois amies pouffent.

— Trixi, annonce Jasmine, la reine Malice a lancé un éclair dans la Vallée des licornes !

— Catastrophe ! gémit la fée. C'est le plus joli endroit du royaume !

— Pas question que la reine Malice le détruise ! déclare Ellie d'un ton ferme.

— Partons immédiatement ! renchérit Jasmine.

Trixi tapote le coffret magique avec sa bague.

« *L'horrible reine a lancé son sort.*
Que nos courageuses amies nous
viennent en aide ! »

Les mots jaillissent du miroir, comme de la poudre d'or, et s'enroulent autour des filles.

— En route pour le Royaume Enchanté ! s'écrie Jasmine.

Les filles se prennent par la main. Doucement, leurs pieds se soulèvent du sol. Un éclair de couleur traverse la pièce… L'instant d'après, elles survolent de magnifiques prairies vertes. La Vallée des licornes !

— Au secours ! hurle Ellie en fermant les yeux. Je tombe !

— Mais non, la rassure Jasmine, tu planes !

2. La Vallée des licornes

Les amies volent dans les airs.

Summer lève la tête. Une immense feuille rouge flotte au-dessus d'elle, sa longue tige enroulée autour de sa taille.

— Je vois la Vallée des licornes ! s'exclame-t-elle.

À ses côtés, Ellie est suspendue à une feuille jaune.

Trixi leur indique un arbre gigantesque, un peu plus bas dans la vallée.

— C'est le Grand Pommier, leur explique-t-elle.

— Hum... magnifique ! articule Ellie. Euh... c'est pour quand, l'atterrissage en douceur ?

La pauvre a le vertige !

— Tout de suite ! répond la fée. Tu vois la mousse, en bas ? C'est parti !

Summer et Jasmine moulinent des bras en riant. Elles se posent sur le tapis de verdure. Leurs feuilles atterrissent à côté d'elles dans un léger froissement.

— Waouh !!! s'écrient-elles en chœur.

— Hum... hum... grommelle une voix.

C'est Ellie, coincée sous sa feuille. Quelque chose la gêne, sur sa tête : un diadème ! C'est un cadeau offert par le roi Merry lors de leur première visite dans le royaume.

Elle se tourne vers ses amies : chacune porte son diadème.

Deux licornes galopent avec grâce dans leur direction. Ellie n'en croit pas ses yeux ! Leurs crinières flottent au vent. L'une porte une corne en or, l'autre une corne en argent. Une guirlande de feuilles et de baies orne la crinière de la plus grande. Les trois amies sont subjuguées.

Les licornes les rejoignent. Délicatement, elles touchent la tête des filles du bout de leur corne.

— Trixi ! Où es-tu ? souffle Jasmine.

— Je suis là ! répond la fée. Pas d'inquiétude : faites la révérence !

Summer et Ellie saisissent le bord de leur jupe et s'inclinent. Jasmine les imite, en tirant sur le bas de son tee-shirt. Pas de chance, elle est en jean !

— Bienvenue dans notre vallée, déclare la créature. Je suis Queue d'Argent, le chef des licornes. Voici ma fille, Petite Corne. Nous n'avions pas vu d'humains depuis longtemps !

— Moi, c'est la première fois ! renchérit Petite Corne.

Elle s'approche des fillettes en trottinant.

— Vous n'avez même pas de queue ! remarque-t-elle.

Ellie et Jasmine pouffent. Mais Summer reste sans voix : de vraies licornes, là, en face d'elle !

— Jasmine, Ellie et Summer sont les invitées d'honneur du roi Merry ! intervient Trixi.

— Vos diadèmes indiquent que vous êtes des ATI, des Amies Très Importantes, approuve Queue d'Argent. Vous avez sauvé la fête d'anniversaire du roi en détruisant l'éclair de la reine Malice. Vous êtes célèbres, ici !

Elle secoue sa crinière et hennit longuement.

— Un autre éclair a atterri dans la vallée, déclare Ellie. Nous sommes venues vous aider…

— Mes jardiniers m'ont parlé de troubles tout près du Grand Pommier, s'inquiète Queue d'Argent. Voulez-vous m'accompagner ? Mes licornes les plus fortes vous porteront !

Les trois amies échangent un regard enthousiaste. Chevaucher une licorne ? Quelle chance !

Aussitôt, trois licornes robustes accourent. L'une est vert menthe, l'autre d'un bleu profond, la troisième gris charbon. Elles ont une longue crinière et une longue queue. Des volutes sculptent leur corne.

— Voici Pied Volant, Crinière Luisante et Robe Charbon, présente Queue d'Argent.

Jasmine grimpe la première sur le dos de Pied Volant.

— Génial ! s'exclame-t-elle.

— Incroyable ! Je n'ai pas le vertige ! s'écrie Ellie du haut de Robe Charbon.

— Merci de nous porter ! murmure Summer à Crinière Luisante.

— C'est un plaisir ! répond celle-ci avec un doux hennissement.

Queue d'Argent prend la tête.

— Les licornes n'ont pas toujours vécu ici, explique-t-elle aux trois amies. Crinière de Neige a découvert cette vallée il y a très longtemps. À l'époque, elle était couverte de buissons venimeux et de plantes carnivores. Crinière de

Neige a touché un buisson avec sa corne et celui-ci s'est transformé en Grand Pommier magique. L'arbre a étendu sa beauté à toute la vallée, et l'horrible végétation a disparu. Voici les étables où nous dormons, ajoute-t-elle.

Elle indique un bâtiment doré en bordure de la prairie parsemée de fleurs.

— Au-dessus, c'est notre école ! ajoute Petite Corne. L'Académie des Joyeux Sabots !

Elle trottine gaiement aux côtés des filles.

— Les bébés licornes sont trop mignons ! s'exclame Summer.

Dans la grande prairie, un maître enseigne aux plus jeunes comment écrire leur prénom. Concentrées, les élèves dessinent les lettres dans l'air avec leur corne.

— Leur corne est en argent, fait remarquer Summer. Comme la tienne, Petite Corne.

— Quand nous sommes assez grandes, nous participons aux Jeux d'Or. Ce jour-là, les licornes adultes transforment notre corne en or. Les jeux commencent d'ailleurs cet après-midi ! Et cette année, je participe à la Grande Course. La gagnante deviendra messager royal. C'est elle qui portera les lettres du roi à travers tout le royaume. Un grand honneur !

— C'est pour ça que le coffret magique nous a appelées, souffle Jasmine à l'oreille d'Ellie. La reine Malice veut gâcher les Jeux d'Or avec son éclair ensorcelé !

Les filles traversent le verger.

— Le Verger de Sa Majesté ! déclare Queue d'Argent.

— Si seulement je pouvais peindre ce paysage ! s'exclame Ellie.

Queue d'Argent sourit et les conduit devant un arbre immense. Les filles ouvrent des yeux ronds : jamais elles n'ont vu un aussi grand tronc !

— Il est encore plus gros que ma maison ! s'écrie Jasmine.

Les licornes s'agenouillent, et les amies descendent de leur monture. L'arbre étend ses branches au-dessus d'elles. De belles pommes brillent sous le soleil.

— Voici le Grand Pommier créé par Crinière de Neige, explique Queue d'Argent. Sans lui, notre vallée n'existerait pas.

— Magnifique ! s'exclame Ellie.

Les filles s'approchent, attentives au moindre signe. Trixi volette sur sa feuille, parmi

les branches. Aucune trace de l'éclair de Malice…

Soudain, un hennissement retentit. Queue d'Argent fixe le sol du regard. L'éclair est fiché dans la terre !

— Oh, non ! gémit-elle, désespérée. La reine Malice a planté son éclair dans les racines du Grand Pommier ! Si le tronc est touché, alors sa magie s'épuisera. Et notre vallée retournera à l'état sauvage !

3. Drôles de petites bêtes

Les trois amies examinent les branches les plus basses pour évaluer les dégâts.

Petite Corne agite doucement sa corne pour faire tomber une pomme sur le sol.

— Oh, non ! geint-elle.

Une cloque se forme sous la peau du fruit. Une grosse chenille violette tachetée de noir apparaît.

— Une chenille du domaine du Château Ouragan de la reine Malice ! s'exclame Trixi. Plus elles mangent, plus elles grossissent !

La drôle de bestiole renifle l'air. Elle tire la langue aux filles avant de s'enfouir dans le fruit.

— Berk ! s'écrie Ellie.

En reculant, elle heurte Petite Corne. Celle-ci tombe dans un panier rempli de pommes, qui roulent par terre. Des chenilles sont lovées dans leur chair.

— Quelle horreur ! lance Jasmine d'un air dégoûté.

Les chenilles visqueuses grignotent les pommes avec avidité.

— Elles ont faim, c'est tout ! intervient Summer.

— Ne me dis pas que tu les défends ! se moque gentiment Ellie.

Trixi tapote sur sa bague :

— « *Petites gourmandes, vous n'avez rien à faire ici. 1, 2, 3... Disparaissez !* »

Mais rien ne se produit.

— La magie de la reine Malice est bien trop puissante pour moi ! soupire Trixi.

Les filles échangent un regard inquiet.

— Déracinons l'éclair, décide Queue d'Argent.

— Inutile ! regrette Trixi. Il faut d'abord briser le sort de la reine Malice.

— Mais les chenilles risquent de s'attaquer au tronc, s'inquiète Petite Corne.

Une grosse larme coule sur sa joue. Elle touche le sol, et aussitôt une fleur en jaillit.

— Si la vallée redevient sauvage, nous n'aurons nulle part où aller…

— Prépare-toi pour la Grande Course, conseille gentiment Queue d'Argent. Ça te changera les idées. Accompagnez-la ! demande-t-il à Ellie, Summer et Jasmine. Moi, je surveille les chenilles avec les gardiennes du verger.

— Et moi, je vais lancer un sort pour qu'elles n'attaquent pas le tronc, déclare Trixi.

Summer caresse la crinière de Petite Corne.

— Allons-y ! lui propose-t-elle. En quoi consistent les jeux ?

— Il y a la Grande Course, explique Petite Corne, les yeux brillants. Et plein d'autres prouesses magiques !

— Formidable ! s'exclame Summer.

Elles aperçoivent un grand champ et une petite colline. Des lignes d'herbe colorée dessinent les pistes de course. De jeunes licornes essaient d'attraper des cerceaux dorés qui flottent dans les airs.

— Elles jouent à Saute-cerceau, explique Petite Corne avec fierté. Et celles-ci font une partie de Balle-attrape !

Des licornes lancent une balle rouge lumineuse. Quand celle-ci touche le sol, elles s'enfuient en courant.

— Voilà le roi Merry ! s'écrie brusquement Ellie.

Le petit homme au ventre rebondi porte sa tenue royale. Quel chic !... Sauf les papiers dépassant de ses poches et les taches d'encre sur son manteau.

Sa Majesté fait les cent pas sur la piste. Il grommelle dans sa barbe et se gratte la tête. Ses lunettes glissent sur son nez.

— Il a l'air très préoccupé, s'inquiète Trixi.

— Voyons voir… murmure le roi Merry. Vous avez l'adresse de m'honorer… Saperlipopette, non ! J'ai l'adresse de vous honorer… Mais non, saperlipopette ! J'ai l'honneur…

— C'est son discours ? souffle Summer.

— Oui, répond la fée. Il a des trous de mémoire…

Le roi s'arrête et tapote ses poches, comme s'il cherchait quelque chose. Trixi volette à sa rencontre et fait apparaître un immense mouchoir. L'instant d'après, elle nettoie les taches sur sa tenue.

— Quel plaisir de vous revoir, chères amies ! lance le roi. Venez-vous pour nos Jeux d'Or ?

— Euh… Pas exactement. Le

coffret magique nous a transportées jusqu'ici, explique Ellie. Un éclair est planté dans les racines du Grand Pommier.

— Il a déjà causé des dégâts, ajoute Jasmine. De dégoûtantes chenilles visqueuses ont attaqué les fruits.

— C'est terrible ! s'écrie le roi.

— Nous cherchons une solution, le rassure Ellie.

— Regardez ! les interrompt Summer en souriant.

Petite Corne galope sur le champ de course, contre cinq autres licornes.

— Elle est drôlement rapide !

Quel spectacle magnifique !

Tout à coup, de longues tiges jaillissent du sol. Elles rampent et s'emmêlent aux pattes des concurrentes. Petite Corne fait un bond pour leur échapper. Mais quatre licornes chutent la tête la première.

— C'est quoi, ce bazar ? s'écrie Ellie.

Une racine surgit soudain aux pieds des amies. Ellie et Summer tirent dessus avec énergie. La tige leur glisse des mains, tout en s'allongeant !

— C'est à cause du Grand Pommier ! s'alarme Trixi. Les chenilles attaquent ses fruits, et sa magie s'affaiblit. L'horrible végétation veut reprendre la Vallée des licornes. Vite ! Grimpons sur la colline !

Les trois amies, le roi et les licornes atteignent le sommet de la colline. Le roi Merry peine, essoufflé. Trixi le pousse, mais il trébuche.

Ellie se précipite à son secours quand une racine s'enroule autour de sa cheville. Elle est prisonnière ! Que faire ?

4. Les Esprits Ouragans

— Vite ! s'écrie Jasmine.

Elle tire de toutes ses forces sur la racine.

— Tiens bon ! l'encourage Summer en l'agrippant.

Soudain, la plante lâche prise. Les trois amies tombent sur le sol.

— Aïe aïe aïe ! gémit Ellie en se frottant les fesses.

Après cet incident, elles rejoignent Trixi, le roi Merry et Petite Corne sur la colline.

Les buissons ont presque tout envahi.

— Il faut annuler les Jeux d'Or, déclare le roi, les sourcils froncés. Trixi, demande aux vers luisants de transmettre mon message !

La fée tapote sa bague, et des centaines de points lumineux se mettent à éclairer la vallée. Ce sont des vers luisants !

— Incroyable ! s'émerveille Ellie.

— Stop ! N'annulez pas les jeux ! intervient Jasmine. Sinon la reine Malice aura gagné et les licornes seront malheureuses. Les plus jeunes n'obtiendront pas leur corne d'or, et le roi n'aura pas de nouveau messager. Il faut trouver une solution !

— C'est trop tard ! proteste Trixi.

— Quand la reine avait planifié de gâcher la fête d'anniversaire du roi, nous avons quand même réalisé le spectacle, lui rappelle Jasmine. Et le sort s'est brisé ! Les Jeux d'Or et la Grande Course doivent donc avoir lieu.

— Mais comment faire avec toutes ces plantes rampantes ? s'inquiète Queue d'Argent.

Summer sourit.

— J'ai une idée ! La nature est équilibrée. Au Grand Pommier, les chenilles dévorent sans arrêt. Ici, les plantes n'arrêtent pas de pousser... Amenons les chenilles sur le champ de course !

— Les chenilles sont paresseuses, s'exaspère le roi Merry. Elles refuseront de courir !

— Pas question de les faire courir ! s'esclaffe Ellie.

— Elles mangeront les plantes et nettoieront le champ de course, explique Jasmine.

— Et les jeux reprendront ! conclut Summer, l'air triomphal.

— Bravo ! s'exclame Trixi en dansant d'excitation sur sa feuille.

À mon tour de jouer ! Levez les mains... ou les sabots !

— Hum... Je reste auprès des licornes, déclare le roi Merry.

— La magie, c'est pas son truc, confie Trixi aux filles. Ça fait trembler sa barbe, il déteste ça !

Les fillettes pouffent. Elles lèvent les bras en se serrant contre Petite Corne.

— Vous êtes prêtes ? demande la fée.

« *Emmène-nous là où il faut aller, sous le Grand Pommier !* » lance Trixi.

Les amies ferment les yeux. L'instant d'après, elles se

retrouvent sous le Grand Pommier. Mince alors ! Elles n'ont rien senti !

— Les chenilles ont grossi, murmure Summer. À présent, elles menacent d'entamer le tronc.

— Plus elles grossissent, plus elles ont faim ! soupire une licorne gardienne du verger.

— Parfait ! sourit Jasmine.

Les trois amies repèrent une charrette, juste à côté.

— Comment les faire grimper dedans ? demande Summer.

— Surprise ! s'exclame Trixi en tapotant sa bague.

De belles feuilles de chou vertes apparaissent alors. Une chenille affamée se dirige droit sur la nourriture.

Les autres la suivent à la queue leu leu et grimpent dans la charrette les unes après les autres.

Trixi tapote de nouveau sa bague. La charrette, les chenilles et les trois amies atterrissent sur la colline.

Aussitôt, les chenilles se précipitent vers les tiges rampantes.

— Bien joué ! se félicite Trixi.

— Elles dévorent tout ! s'enthousiasme Jasmine. Plus rien ne les arrêtera !

— Pas sûr… dit Ellie.

Deux affreuses créatures volent à toute allure vers le champ de course, chacune chevauchant un nuage sombre. Elles ont de longs doigts crochus, et leurs yeux brillent de méchanceté.

— Les Esprits Ouragans de la reine Malice ! s'alarme Summer.

Les petits êtres foncent sur leurs nuages.

— Rendez-nous ces chenilles ! hurle un Esprit Ouragan. Elles doivent manger chaque arbre et chaque fleur de la Vallée des licornes !

5. Une surprise visqueuse

Jasmine aperçoit un étal de melons, à l'entrée du champ de course.

— Vite, aidez-moi à porter les chenilles ! lance-t-elle.

Les filles ne peuvent en prendre qu'une à la fois.

Les énormes chenilles glissent entre leurs mains !

Une fois sur l'étal de fruits, elles se jettent sur les gros melons mûrs, laissant des traces luisantes derrière elles.

— J'ai compris ton plan ! souffle Ellie. Les Esprits Ouragans vont glisser sur la bave et ils ne pourront pas atterrir, c'est ça ?

— Bravo ! applaudit Trixi.

— Venez donc ! Les chenilles sont à vous ! crie Jasmine aux Esprits Ouragans.

Les horribles créatures rient méchamment. Elles descendent en piqué vers le sol, debout sur leurs nuages.

— Ouh là ! hurle l'une d'elles. Ça glisse !

Son pied dérape, et l'Esprit heurte son complice. Celui-ci gémit et trébuche sur la piste.

Les deux Esprits paniquent et tombent la tête la première dans les melons sucrés.

— Tu m'as cogné, imbécile ! crie l'un.

— Non, c'est toi qui m'as fait chuter, idiot ! rétorque l'autre, coincé sous un fruit.

Les filles éclatent de rire. Quel spectacle ! Les hommes de main de la reine Malice sont empêtrés dans la bave de limace.

Les licornes rient, elles aussi. À l'exception de Pied Plat, de Robe Charbon et de Crinière Luisante…

— Vous allez nettoyer le verger avec nous, hennit Robe Charbon. Ça vous servira de leçon.

Les licornes dirigent les Esprits du bout de leur corne. Les deux créatures se poussent du coude, furieuses.

Ellie, Summer et Jasmine retournent sur le champ de

course. Quelle surprise ! Plus une tige en vue ! Les chenilles dorment, repues. Elles ont tout dévoré ! Allongées sur le dos, le ventre en l'air, elles ronflent bruyamment.

— Comme elles sont attendrissantes ! murmure Summer.

Tout à coup, un hennissement retentit: Queue d'Argent surgit au galop.

— L'éclair de Malice s'est brisé, annonce-t-elle. Le Grand Pommier a déjà commencé à se restaurer!

— On a réussi! s'écrie Jasmine d'un air victorieux.

— Pas tout à fait... déclare Queue d'Argent d'un ton grave.

Les amies échangent un regard inquiet.

— Les chenilles!

— Il faut les déplacer, dit Trixi.

— Pas question que la reine les reprenne, approuve Summer.

Justement, les chenilles se tortillent dans tous les sens.

— Qu'est-ce qui leur prend ? s'étonne le roi Merry.

— Elles s'enroulent dans un cocon de soie ! s'émerveille Summer.

Queue d'Argent s'agenouille et pousse légèrement un cocon du bout de sa corne.

— Une chose est sûre : elles ne mangeront pas avant un bon moment ! dit-elle.

Tous ensemble, ils transportent les cocons dans la charrette.

— Que la cérémonie d'ouverture commence ! déclare ensuite Queue d'Argent. Summer, Ellie et Jasmine, vous êtes nos invitées d'honneur !

Les amies prennent place aux côtés du roi Merry. Trixi, quant à elle, fait apparaître des coussins pour les spectateurs.

Le roi Merry se met à flotter au-dessus de la foule et entame son discours.

— C'est mon adresse de vous honorer cette année... euh... C'est un honneur d'adresse de vous... euh...

Il recommence plusieurs fois... en vain !

Summer, Ellie et Jasmine pouffent en cachette. Il est trop drôle !

Enfin, on donne le signal du départ. Les petites licornes trottent fièrement sur la piste. Chacune porte un ruban de couleur différente. Leur crinière et leur queue sont ornées de fleurs et d'herbes tressées.

Petite Corne défile devant les trois amies avec fierté. Celles-ci l'encouragent.

Alignées face au public, les licornes se mettent à chanter l'hymne national du Royaume Enchanté :

— « *Le Royaume Enchanté est*
un royaume merveilleux fait
de montagnes enneigées
et de sable doré.
Chaque licorne, lutin et gnome
adore son pays magique. »

Puis les petites licornes lèvent la tête. Incroyable ! Des étincelles roses et rouges jaillissent de leur corne, comme des feux d'artifice ! Les étincelles dessinent d'immenses lettres dans le ciel.

« *Merci Summer,*
Ellie et Jasmine,
d'avoir brisé
le sort de la reine Malice ! »

— Magnifique ! s'émerveille Jasmine.

Puis les lettres se transforment :

« *Que les Jeux d'Or commencent !* »

6. Les Jeux d'Or

— Waouh ! s'exclament Ellie, Summer et Jasmine face aux prouesses des licornes.

Certaines bondissent par-dessus des obstacles d'étincelles. D'autres font d'impressionnants sauts pour attraper les cerceaux dorés avec leur corne. Il y a tant à voir ! Les trois amies sont tout excitées.

Queue d'Argent lance un jet d'étincelles avec sa corne pour signaler le départ de la Grande Course.

— Allez, Petite Corne ! crient les trois filles.

Leur amie est en tête. Mais une licorne un peu plus grande court sur la ligne intérieure et la rattrape…

Jasmine se lève et encourage Petite Corne en criant. Summer croise les doigts. Ellie applaudit.

Trixi ose à peine regarder et se cache derrière ses amies.

— Dites-moi quand ce sera terminé ! lance-t-elle.

D'un coup, Petite Corne accélère.

— Vas-y, Petite Corne ! hurle Jasmine.

Petite Corne baisse la tête avec détermination et galope aussi vite que possible. Elle rattrape sa concurrente et gagne avec une longueur d'encolure !

Le roi remet une couronne et une guirlande de baies scintillantes à Petite Corne. La voilà messagère officielle du roi !

Puis, les jeunes licornes grimpent la colline pour recevoir les félicitations de leur famille et de leurs amis.

Queue d'Argent hennit et le silence s'installe.

— Et maintenant, que la cérémonie commence ! déclare-t-elle.

Les jeunes licornes forment un cercle en baissant la tête. Leurs cornes se touchent. On perçoit un léger tintement, et une lumière se met à scintiller au-dessus du cercle. Les filles poussent un cri d'étonnement. Les cornes des petites licornes deviennent dorées ! Le public hennit et tape des sabots. Radieuse, Petite Corne sourit. Elle louche pour essayer de voir sa corne !

Queue d'Argent lance un long hennissement et le silence s'installe à nouveau. Les jeunes licornes lèvent alors leur corne. Des étincelles magiques en jaillissent, dessinant une petite corne en argent !

Queue d'Argent hennit une nouvelle fois, et la corne en argent part flotter en direction des trois amies.

— C'est pour vous remercier d'avoir sauvé la Vallée des

licornes. Sans vous, notre magnifique vallée aurait été détruite.

Queue d'Argent s'incline. Les licornes baissent la tête. Même Trixi, avec un grand sourire, leur fait la révérence.

Summer s'avance, intimidée. Les joues rouges, elle saisit la corne en argent. Elle n'est pas plus longue que son petit doigt, légère comme une plume. Elle est ornée de volutes, comme celle de Petite Corne.

Tout à coup, un cri s'échappe de la foule. Les trois amies se tournent vers la charrette. Les cocons des chenilles tremblent. Soudain, un superbe papillon brillant s'envole. Puis un deuxième, et ainsi de suite… Bientôt le ciel est rempli de papillons tourbillonant.

— Magnifique ! s'exclame Summer.

— Incroyable ! sourit Jasmine. Ces chenilles visqueuses sont devenues de sublimes papillons.

— J'espère qu'ils seront moins gloutons sous cette forme ! lance Ellie, inquiète.

Les papillons s'envolent, virevoltant dans la lumière du soleil, et Queue d'Argent interpelle la foule.

— Une minute de silence ! réclame-t-il. Summer, ouvre grand tes oreilles !

Celle-ci se concentre et lâche un cri de surprise.

— Je comprends le langage des papillons ! s'exclame-t-elle, tout étonnée.

— Merci à vous trois ! lancent les papillons.

Ellie et Jasmine tendent l'oreille à leur tour.

— Moi, je n'entends rien ! grogne Ellie, les sourcils froncés.

— C'est grâce à la corne en argent, explique Trixi avec un sourire. Elle permet de communiquer avec les animaux.

Summer tend la corne à ses amies. À leur tour, elles perçoivent les voix des papillons. Trixi tapote son anneau.

Un papillon apparaît dans un nuage de poudre argentée.

— Conduis-les à la Forêt des fleurs ! murmure-t-elle.

Queue d'Argent se tourne vers les filles d'un air solennel.

— Vous voilà membres d'honneur de notre famille. Summer, je te surnomme Gentil Sabot, Ellie,

Crinière de Feu, et toi, Jasmine, Cœur Courageux.

À ces mots, elle touche chacune d'elles avec sa corne.

— Chaque fois que vous aurez besoin de nous, nous serons là pour vous aider.

Souriant de bonheur, les trois amies saluent les licornes. Trixi dépose un baiser sur le nez de chacune, puis s'envole au-dessus de leurs têtes.

— À bientôt !

Les trois amies se sentent soulevées, toujours plus haut, survolant la magnifique Vallée des licornes.

Dans un éclair aveuglant, elles atterrissent toutes les trois sur le tapis d'Ellie.

La lumière du jour emplit la chambre. Celle du coffret magique, posé entre elles, s'éteint.

— Waouh ! s'exclame Ellie en admirant la petite corne. Quelle aventure fantastique !

— Je suis si heureuse d'avoir rencontré les licornes ! ajoute Summer.

— Sauf que pendant notre aventure au Royaume Enchanté, le temps, ici, n'a pas avancé. Et moi, je meurs de faim ! dit Jasmine.

Ellie et Summer éclatent de rire.

Soudain, le coffret magique se met à briller. Son couvercle se soulève doucement.

Ellie range délicatement la corne argentée dans l'un des compartiments.

— J'espère que nous retournerons bientôt au Royaume Enchanté, dit-elle.

— Nous devons encore trouver quatre éclairs ! renchérit Jasmine. Je me demande où sera caché le prochain… Peut-être aux Cascades Ondulantes ? Ou dans les Prairies Mystérieuses ? Le roi Merry dit que les fées y font des batailles de champignons vénéneux !

— Vivement qu'on y aille ! soupire Summer. Mais le plus important, c'est de sauver le royaume des griffes de la reine Malice !

— C'est sûr ! approuve Jasmine en souriant. Venez, c'est l'heure de déguster nos sablés !

Les amies dévalent l'escalier en riant. Quel dimanche ! Elles s'en souviendront longtemps !

Grâce à la troisième histoire du Royaume Enchanté, tu exploreras un nouveau lieu de ce monde magique !

Tome 3

L'Île aux nuages

La fée Trixi entraîne Ellie, Summer et Jasmine dans leur prochaine aventure : cette fois, elles partent visiter l'Île aux nuages ! À leur arrivée, les amies s'amusent avec les nuages mais, très vite, elles n'ont plus le cœur à rire… La méchante reine Malice a prévu de détruire l'île ! Les fillettes trouveront-elles une solution pour déjouer son plan diabolique ?

Pour tout savoir sur ta nouvelle série Le Royaume Enchanté, va sur le site www.bibliotheque-rose.com

Connais-tu tous les territoires magiques du Royaume Enchanté ? Non ? Compte jusqu'à trois et Friscibelle t'y conduira !

Tome 1

Le palais du roi Merry

Summer, Ellie et Jasmine adorent rendre service et, en organisant le vide-greniers de l'école, elles ont trouvé un très joli petit coffre en bois ! Ce qu'elles ignorent, c'est que ce coffret n'attendait qu'elles pour s'ouvrir sur un monde incroyable…

PAPIER À BASE DE FIBRES CERTIFIÉES

hachette s'engage pour l'environnement en réduisant l'empreinte carbone de ses livres. Celle de cet exemplaire est de :
400 g éq. CO_2
Rendez-vous sur www.hachette-durable.fr

Photogravure **Nord Compo** - Villeneuve d'Ascq

Imprimé en Roumanie par G. Canale & C. S.A.
Dépôt légal : mai 2013
Achevé d'imprimer : mai 2013
20.3626.7/01 – ISBN 978-2-01-203626-0
Loi n° 49956 du 16 juillet 1949
sur les publications destinées à la jeunesse